La Joven Tejedora

Traducción
Mario Merlino

Marina Colasanti

La Joven Tejedora

Bordados de
Ângela, Antônia Zulma, Marilu, Martha e Sávia Dumont
sobre dibujos de **Demóstenes Vargas**

Se despertaba aún estando oscuro, como si oyese al sol que llegaba tras las riberas de la noche. Y en seguida se sentaba al telar.

Hilo claro, para comenzar el día. Delicado trazo color de luz, que ella iba pasando entre los hilos extendidos, mientras afuera la claridad de la mañana dibujaba el horizonte.

Después, lanas más vivas, cálidas lanas, iban tejiendo, hora a hora, en un largo tapiz que no acababa nunca.

Si el sol era demasiado fuerte y en el jardín pendían los petálos, la joven colocaba en la lanzadera gruesos hilos cenicientos de algodón más esponjoso. Luego, en la penumbra traída por las nubes, elegía un hilo de plata, que en puntos largos realizaba sobre el tejido. Leve, la lluvia venía a saludarla a la ventana.

Pero si durante muchos días el viento y el frío se enfrentaban con las hojas y espantaban a los pájaros, bastaba que la joven tejiese con bellos hilos dorados para que el sol volviese a calmar la naturaleza.

Así, manejando la lanzadera de un lado a otro, y moviendo los grandes peines del telar hacia delante y hacia atrás, la joven pasaba los días.

Nada le faltaba. Si sentía hambre tejía un lindo pez, esmerándose en las escamas. Y he ahí que el pez aparecía en la mesa, listo para la cena. Si tenía sed, suave era la lana color de leche que entrelazaba en el tapiz. Y de noche, después de lanzar el hilo oscuro, dormía serenamente. Tejer era todo lo que hacía. Tejer era todo lo que quería.

Y tejiendo y tejiendo, ella misma trajo el tiempo en que se sintió sola, y por primera vez pensó que sería bueno tener un compañero.

No esperó al día siguiente. Con el capricho de quien intenta una cosa nunca conocida, comenzó a entrelazar en el tapiz las lanas y los colores que le darían compañía. Y poco a poco su deseo fue apareciendo: sombrero emplumado, rostro barbudo, cuerpo aplomado, zapatos lustrados. Estaba justamente acabando de entrelazar el último hilo de la punta de los zapatos cuando llamaron a la puerta.
No hizo falta que abriese la puerta. El joven puso la mano en el picaporte, se quitó el sombrero emplumado y entró en su vida.

Aquella noche, apoyada sobre el hombro de él, ella pensó en los lindos hijos que tejería para aumentar aún más su felicidad.

Y fue feliz por un tiempo. Pero si el hombre había pensado en hijos, en seguida los olvidó. Porque una vez descubierto el poder del telar, no pensaba en nada más, salvo en todas las cosas que éste podría darle.

– Es necesario tener una casa mejor – le dijo a ella.

Y más ahora que eran dos. Exigió que eligiese las más bellas lanas color de ladrillo, hilos verdes para los batientes, y que se diese prisa en terminar la casa.

Pero una vez lista la casa, ya no le pareció suficiente.

– ¿Por qué tener una casa, si podemos tener un palacio? – preguntó.

Sin esperar respuesta, le ordenó que el palacio fuese de piedra con remates de plata.

Días y días, semanas y meses, trabajó la joven tejiendo techos y puertas, y patios y escaleras, y salas y pozos. La nieve caía afuera, y ella no tenía tiempo para llamar al sol. La noche llegaba, y ella no tenía tiempo para rematar el día. Tejía y se entristecía, mientras sin parar movía los peines acompañando el ritmo de la lanzadera.

Por fin el palacio
quedó listo. Y entre
tantas habitaciones,
el marido eligió para
ella y su telar el
cuarto más alto de
la torre más alta.

– Es para que
nadie sepa del
tapiz – dijo, y
antes de cerrar la
puerta con llave,
le ordenó:
– Faltan los
establos.
¡Y no te olvides
de los caballos!

Sin descanso
tejía la mujer los
caprichos del
marido, llenando
el palacio de
lujos, los cofres de
monedas,
las salas de criados.
Tejer era todo lo
que hacía. Tejer era
todo lo que quería.

Y tejiendo y tejiendo, ella misma trajo el tiempo en que su tristeza le pareció mayor que el palacio con todos sus tesoros. Y por primera vez pensó que sería bueno estar sola de nuevo.

Sólo esperó a que anocheciera. Se levantó mientras el marido dormía soñando con nuevas riquezas. Descalza, para no hacer ruido, subió la larga escalera de la torre y se sentó al telar.

Esta vez no necesitó elegir hilo alguno. Sujetó la lanzadera al revés y, manejándola veloz de un lado a otro, comenzó a deshacer el tejido. Destejió los caballos, los carruajes, los establos, los jardines. Después destejió los criados y el palacio y todas las maravillas que contenía. Y nuevamente se vio en su pequeña casa y sonrió en dirección al jardín más allá de la ventana.

La noche terminada cuando el marido, extrañado de la cama dura, se despertó y con espanto miró en torno suyo. No tuvo tiempo de levantarse. Ya deshacía ella el dibujo oscuro de los zapatos, y él, sorprendido, vio desaparecer sus pies, esfumarse sus piernas. Rápidamente, la nada le subió por el cuerpo aplomado, el rostro barbudo, el sombrero emplumado.

Entonces, como si oyese la llegada del sol, la joven eligió un hilo claro. Y fue pasándolo despacio entre los hilos, delicado trazo de luz que la mañana trajo en la línea del horizonte.